HINDI
MADE EASY

Book 3

सरल हिन्दी

भाग तीसरा

By
Dr. J.S. Nagra M.A., M.Ed., Ph.D.
Inspector of Schools (Retd.)

AND

S.K. Nagra B.A. B.Ed.

Published by : **Nagra Publications**
399, Ansty Road, Coventry CV2 3BQ, UK
Tel & Fax : 02476 617314
E-mail : js.nagra@ntlworld.com
Website : www.nagrapublications.co.uk

1st Edition : January 1994
Reprinted : September 2010

ISBN 978 1 870383 08 0

This book is also available from :

1. THE SIKH MISSIONARY SOCIETY UK
   10 Featherstone Road, Southall, Middlesex
   UB2 5AA, Tel: 0208 574 1902.

2. DTF ASIAN PUBLISHERS AND DISTRIBUTORS
   117 Soho Road, Handsworth, Birmingham,
   B21 9ST, Tel: 0121 515 1183.

3. GARDNERS BOOKS LTD
   1 Whittle Drive, Willingdon Drove, Eastbourne, East Sussex,
   BN 23 6 QH, Tel: 01323521555

4. GURMAT PARCHAR
   21 Brook Road, Northfleet, Gravesend, Kent,
   DA11 8RQ, Tel: 01474 326428

5. JAYSONS
   267 Soho Road, Handsworth, Birmingham,
   B21 9SA, Tel 0121 5543384

INTRODUCTION

This book is the third one in the Hindi Made Easy series. It is designed for those learners who have started to learn Hindi systematically. They will benefit from its organised presentation of Hindi words and relatively complex structures of sentences as they progress through the book. Therefore, learners will find this book and the others in the series extremely useful in gaining a grasp of the Hindi language.

Questions at the end of each lesson are designed for the learners to monitor their own progress. Ample Hindi Vocabulary with English transliation is provided at the end of the book.

This series will also prove useful for the Breakthrough and Preliminary stages of the Languages Ladder in Hindi. We are very pleased to reproduce this book.

S.K. Nagra   **J.S. Nagra**

पाठ-सूची

नं:	पाठ	पेज

रणबीर

रणबीर एक अच्छा लड़का है । वह सदैव अपने माता-पिता का कहना मानता है । पढ़ाई में वह बहुत रुचि रखता है ।

वह अपने कमरे में एक कुर्सी पर बैठा है । वह पुस्तक पढ़ रहा है । उसके कमरे में एक मेज़ है । मेज़ पर कुछ पुस्तकें हैं । उसका बैग उसके पास है । बैग में उसकी पुस्तकें और अन्य वस्तुएं हैं । उसके कमरे में एक कलॉक तथा कई अन्य वस्तुएं हैं ।

वह स्कूल से कभी अनुपस्थित नहीं होता । वह सदा अच्छे बच्चों की संगति में रहता है । स्कूल से वापिस आकर दो-तीन घन्टे प्रतिदिन पढ़ाई करता है । वह किसी से भी लड़ाई नहीं करता । इसलिए सब उसको पसंद करते है ।

"BOOKS!"

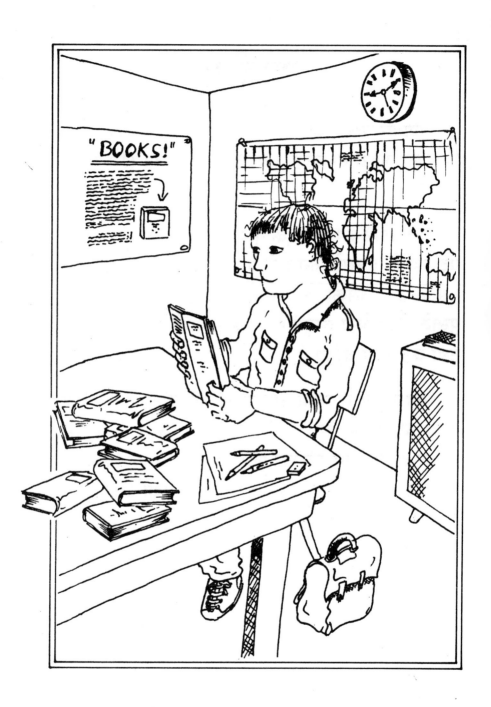

अभ्यास (Exercise)

निम्नलिखित प्रश्नों के उत्तर पूरे वाक्यों में दीजिए :—

1. रणबीर क्या करता है ?
   - (i) साईकिल चलाता है ।
   - (ii) फुटबाल खेलता है ।
   - (iii) पुस्तक पढ़ता है ।

2. रणबीर के हाथ में क्या है ?
   - (i) पैन है,
   - (ii) पुस्तक है ।
   - (iii) रुमाल है ।

3. रणबीर का बैग कहाँ है ?
   - (i) मेज़ पर है ।
   - (ii) हाथ में है ।
   - (iii) पास रखा है ।

4. स्कूल से वापिस आकर रणबीर क्या करता है ?
   - (i) खाना खाता है ।
   - (ii) पढ़ाई करता है ।
   - (iii) फुटबाल खेलता है ।

5. रणबीर के बारे में कोई चार बातें लिखिए ।

Answer the following questions in English.

  1. Where is Ranbir sitting ?
  2. What is he doing ?
  3. What is on the table ?
  4. What is in the bag ?
  5. What does he do after coming back from school ?
  6. Write any four things about Ranbir ?

****

सूज़न की मम्मी रसोई में

सूज़न की मम्मी रसोई में है । वह रसोई को साफ सुथरा रखना पसन्द करती है । वह प्रतिदिन कम से कम एक बार आवश्य ही रसोई साफ करती है । वह अपना अधिक समय रसोई में ही गुज़ारती है ।

सूज़न की मम्मी का नाम श्रीमती थोमस है । श्रीमती थोमस सिन्क के पास खड़ी है । सिन्क में काफी जूठे बर्तन हैं । श्रीमती थोमस कप प्लेटें और बाकी बर्तन साफ़ करती है ।

आज श्रीमती थोमस ने अपना काम समाप्त कर के बाज़ार जाना है । सूज़न भी उसके साथ बाज़ार जाएगी । इसीलिए वह बहुत खुश है ।

अभ्यास (Exercise)

1. निम्नलिखित प्रश्नों के उत्तर पूरे वाक्यों में दीजिए :—

   (क) सुजन की मम्मी कहाँ है ?

       (i) बाज़ार में (ii) रसोई में (iii) पार्क में

   (ख) सूज़न की मम्मी का क्या नाम है ?

       (i) श्रीमती ब्राऊन

       (ii) श्रीमती हिकमैन

       (iii) श्रीमती थोमस

   (ग) सिन्क में क्या है ?

       (i) कपड़े हैं

       (ii) जूठे बर्तन हैं

       (iii) खाने-पीने की वस्तुएं हैं ।

   (घ) सूज़न की मम्मी कहाँ खड़ी है ?

       (i) सिन्क के पास

       (ii) दरवाज़े के पास

       (iii) बाहर पार्क में ।

(ङ) आज सूज़न क्यों खुश है ?

(i) क्योंकि उसने लन्दन जाना है ।

(ii) क्योंकि उसने बाज़ार जाना है ।

(iii) क्योंकि वह पास हो गई है ।

2. उन सभी वस्तुओं की सूची बनाकर लिखो जो रसोई में होती हैं ?

Answer the following questions in English.

1. Where is Susan's mother ?
2. What is the name of Susan's mother ?
3. What is in the sink ?
4. Where will Mrs. Thomas be going today ?
5. Why is Susan happy ?

****

श्रीमती जोनज़

श्रीमती जोनज़ एक प्राम धकेले बाज़ार की ओर जा रही है । प्राम में उसका पुत्र टोनी है । टोनी सो रहा है ।

श्रीमती जोनज़ ने अपना कुत्ता भी प्राम के साथ बांध रखा है । कुत्ते का नाम जैक है । जैक भी श्रीमती जोनज़ के साथ बाहर जाना पसन्द करता है ।

जब भी श्रीमती जोनज़ बाज़ार जाती है वह टोनी और जैक को अपने साथ लेकर जाती है । श्रीमती जोनज़ का पति श्रीमान जोनज़ फैक्ट्री में काम करता है । परन्तु श्रीमती जोनज़ टोनी की देखभाल और घर का काम ही करती है ।

MARKET

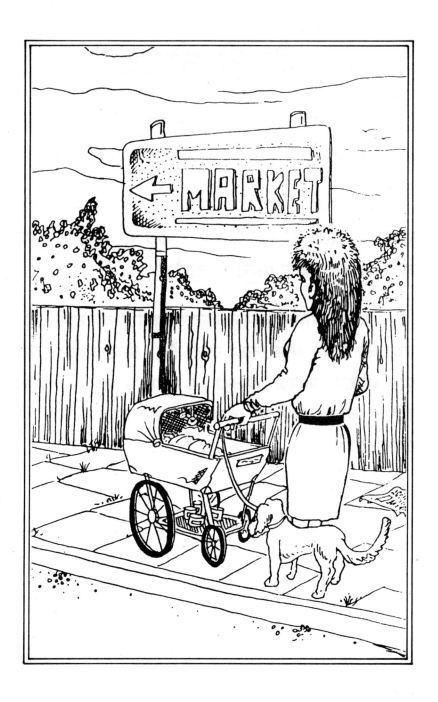

अभ्यास (Exercise)

1. निम्नलिखित प्रश्नों के उत्तर पूरे वाक्यों में लिखिए :—
   (क) श्रीमती जोनज़ कहाँ जा रही है ?

   (i) स्कूल की ओर

   (ii) बाज़ार की ओर

   (iii) रेलवे स्टेशन की ओर ।

   (ख) टोनी कहाँ है ?

   (i) बैड में (ii) प्राम में (iii) स्कूल में ।

   (ग) श्रीमती जोनज़ के कुत्ते का क्या नाम है ?

   (i) जैक (ii) टोनी (iii) पीटर ।

   (घ) श्री जोनज़ कहाँ काम करता है ।

   (i) स्कूल में (ii) फैक्ट्री में (iii) दुकान में ।

2. रिक्त स्थान भरिए :—
   (क) प्राम में उसका पुत्र .... है ।
   (ख) .... का नाम जैक है ।
   (ग) श्रीमती जोनज़ ने अपना .... भी
   .... के साथ बंधा हुआ है ।

(घ)   श्री जोनज़ .... में काम करता है ।

(ङ)   श्रीमती जोनज़ .... की   देखभाल करती है ।

Answer the following questions in English.

1. Where is Mrs. Jones going to ?
2. What is in the pram ?
3. What is the name of Mrs. Jone's dog ?
4. Who accompanies Mrs. Jones when she goes to the market ?
5. Where does Mr. Jones work ?
6. What does Mrs. Jones do ?

****

श्रीमती जोनज़ बाज़ार में

श्रीमती जोनज़ बाज़ार में पहूंच गई है । उस का पुत्र टोनी भी उसके साथ है । बाज़ार में कई प्रकार की दुकानें हैं । श्रीमती जोनज़ ने माँस व कुछ फल खरीदने हैं । इसलिए वह माँस व फलों की दुकान पर पहुँच गई है ।

फलों की दुकान वाले ने सारे फल बड़े सजा कर रखे हुए हैं । इस दुकान से आप केले, सन्तरे, अंगूर, आम, खरबूज़े, सेब तथा अन्य कई प्रकार के फल खरीद सकते हैं । श्रीमती जोनज़ ने केले, आम और सन्तरे खरीदने हैं ।

बाज़ार श्रीमती जोनज़ के घर से कोई अधिक दूर नहीं है । वह बाज़ार को पैदल जाना पसन्द करती है । इस से उस का तथा उसके कुत्ते का व्यायाम भी हो जाता है । जैक भी बाज़ार पैदल जाकर बहुत ही प्रसन्न होता है ।

जब श्रीमती जोनज़ माँस की दुकान के पास पहूँचती है तो अकस्मात उस की मुलाकात श्री स्मिथ से होती है । वह

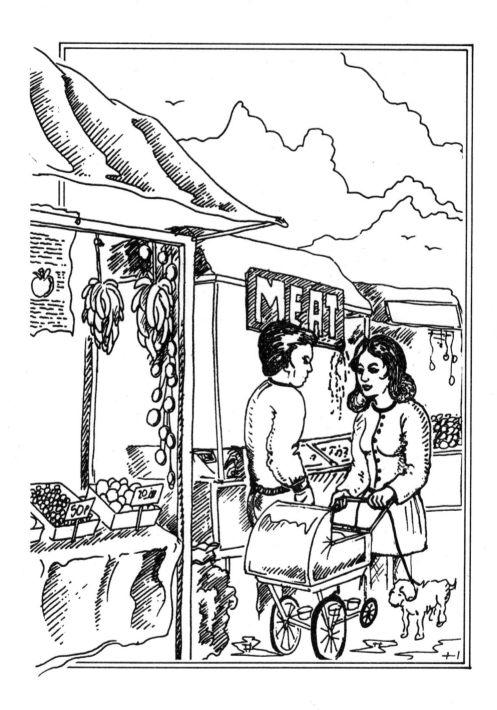

MEAT
50p

श्रीमती जोनज़ से भी जोनज़ व टोनी का हाल-चाल पुछता है । जैक भी पास खड़ा है । श्री स्मिथ भी बाज़ार से मास और अन्य वस्तुएं खरीदनें के लिए आया है ।

अभ्यास (Exercise)

1. निम्नलिखित प्रश्नों के उत्तर लिखो :—
   (क) श्रीमती जोनज़ कहाँ पहुँच गई हैं ?
   (ख) श्रीमती जोनज़ बाज़ार में क्या खरीदने गई है ?
   (ग) टोनी कहाँ है ?
   (घ) श्रीमती जोनज़ बाज़ार को पैदल क्यों जाना चाहती है ?
   (ङ) बाज़ार में श्रीमती जोनज़ को और कौन मिलता है ?

2. रिक्त स्थानों की पूर्ति करो :—
   (क) उस का .... जैक भी उस के साथ है ।
   (ख) श्रीमती जोनज़ ने .... और कुछ .... खरीदने हैं ।
   (ग) जैक भी .... को पैदल जाकर बहुत .... होता है ।

(घ) फलों की दूकान वाले ने .... बहुत सजा कर रखे हुए हैं ।

(ङ) श्री स्मिथ भी .... से मास और .... खरीदने आया है ।

3. श्रीमती जोनज़ के बारे में कोई चार वाक्य अपने शब्दों में लिखिए :—

Answer the following questions in English.

1. What is Mrs. Jones going to buy ?
2. What fruit can you buy from the fruit shop ?
3. Why does Mrs. Jones like to walk to the market ?
4. Who meets Mrs. Jones in the market ?
5. Why did Mr. Smith come to the market ?

****

संगीता

1. मैं एक लड़की हूँ और मेरा नाम संगीता है ।

2. मेरा कद 4 फुट 6 इंच है ।

3. मेरे बाल काले और आँखें नीली हैं ।

4. मेरा जन्म 15 फरवरी सन् 1972 को हुआ था ।

5. मैं सिडनी स्टारिंगर स्कूल कावैन्टरी में पढ़ती हूँ ।

6. मेरी छोटी बहन का नाम उमा है । वह भी सिडनी सटरिंगर स्कूल में पढ़ती है ।

7. मेरा एक भाई है । उसका नाम संजय है । वह आयु में मुझसे बड़ा है । वह सटोक पार्क स्कूल में पढ़ता है ।

8. मैं नैटबाल खेलना बहुत पसन्द करती हूँ और प्रतिदिन सांयकाल को एक घंटा नैटबाल खेलती हूँ ।

9. हमारे माता-पिता हम सब से बहुत प्यार करते हैं ।

10. मैं बड़ी होकर अध्यापिका बनना चाहती हूँ ।

अभ्यास (Exercise)

1. अपनी कापी में संगीता की तरह दस वाक्य (sentences) अपने ऊपर लिखो । परन्तु ये वाक्य अपने आप और ऊपर के प्रसंग को बदल कर लिखो ।

2. निम्नलिखित प्रश्नों के उत्तर लिखिएं :—

(क) संगीता के कितने बहन भाई हैं ?

(ख) संगीता के भाई का क्या नाम है ?

(ग) संगीता की बहन का क्या नाम है ?

(घ) संगीता की आयु कितने वर्ष की है ?

(ङ) संगीता कौन से खेल खेलना पसन्द करती है ?

(च) संगीता का कद कितना है ?

(छ) संगीता बड़ी होकर क्या बनना चाहती है ?

(ज) संगीता का जन्म दिवस कब था ?

(झ) संजय कौन से स्कूल में पढ़ता है ?

Answer the following questions in English.

1. What is Sangeeta's height ?
2. When was Sangeeta born ?
3. Which school does she go to ?
4. What is the name of Sangeeta's younger sister ?
5. What game does she like to play ?
6. What is the name of Sangeeta's brother ?
7. Which school does Sanjay go to ?
8. When does Sangeeta play netball ?

शरीर के अंग

हमारा शरीर कई अंगों को मिला कर बना है जैसे सिर, मूँह, आँखें, नाक, कान, गर्दन, बाज़ू, पेट, टाँगें, हाथ, पैर आदि । हर अंग का अपना-अपना काम होता है ।

हम अपनी आँखों से देखते हैं । हाथों से कई प्रकार के कार्य करते हैं । मुँह से खाते हैं । पैरों से चलने-फिरने का काम करते हैं । कानों से सुनते हैं । नाक से सूंघते हैं । जीभ से चखने या स्वाद लेने तथा मस्तिष्क (दिमाग) से सोचने का काम लेते हैं ।

शरीर के लिए यह बहुत आवश्यक है कि उसका हर एक अंग ठीक प्रकार से कार्य करें । यदि सभी अंगों में से कोई एक अंग भी अच्छी प्रकार से काम न करे तो शरीर काम करने में अयोग्य बन जाता है । इसलिए हमें अपने शरीर के हर एक अंग की पूरी-पूरी देखभाल करनी चाहिए । समस्त शरीर की सफाई रखना अति आवश्यक

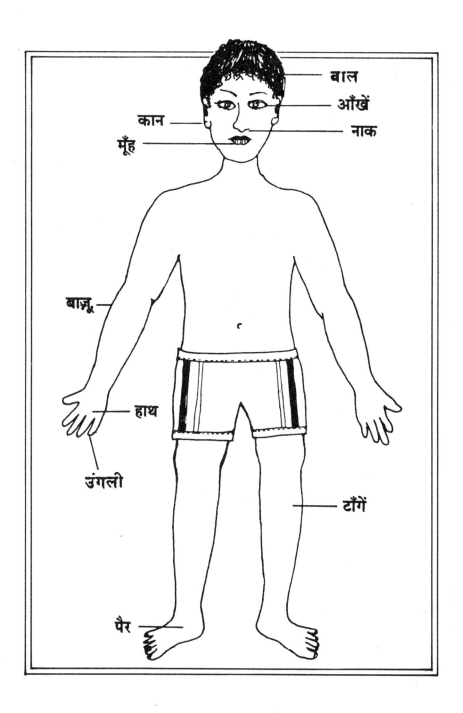

बाल

आँखें

कान

नाक

मूँह

बाज़ू

हाथ

उंगली

टाँगें

पैर

25

है ताकि शरीर को विभिन्न प्रकार की बीमारियों से बचाया जा सके । व्यायाम करने से भी शरीर को कई बीमारियों से बचाया जा सकता है ।

अभ्यास (Exercise)

1. निम्नलिखित प्रश्नों के उत्तर लिखो :—
   (क) आँखों से हम क्या काम करते हैं ?
   (ख) कानों से हम क्या करते हैं ?
   (ग) यदि शरीर का एक अंग भी काम करने से हट जाए तो क्या हो जाता है ?
   (घ) शरीर को बीमारियों से बचाने के लिए क्या करना चाहिए ?
   (ङ) हम पैरों से क्या करते हैं ?

2. रिक्त स्थानों की पूर्ति करें :—
   (क) हम नाक से .... हैं ।
   (ख) .... से सोचते हैं ।
   (ग) मुँह से .... है ।
   (घ) .... से कई प्रकार का काम करते हैं ।

(ङ) जीभ से .... लेने का काम करते हैं ।

3. सही (ठीक) वाक्यों के सामने (√) और गलत वाक्यों के सामने (×) का चिन्ह् लगाओ ।

(क) पैरों से हम सुनते हैं ।

(ख) मस्तिष्क (दिमाग) से हम देखते हैं ।

(ग) मुँह से हम खाते हैं ।

(घ) बीमारियों से बचने के लिए शरीर की सफाई रखना अति आवश्यक है ।

(ङ) नाक से हम सोचते हैं ।

4. निम्नलिखित शब्दों को अपने वाक्यों में प्रयोग करो :—

(i) बीमारी (ii) स्वाद (iii) प्रकार (iv) सफाई (v) शरीर (vi) काम (vii) अंग (viii) देखभाल (xi) अयोग्य (x) योग्य

5. अपनी कापी में लिखो :—

एक वचन	बहुवचन	एक वचन	बहु वचन
शरीर	शरीरों	चखता	चखते
अंग	अंगों	व्यायाम	व्यायामों
आँख	आँखें	टांग	टांगें

एक वचन	बहुवचन	एक वचन	बहु वचन
नाक	नाक	जीभ	जीभें
भुजा	भुजाएं	पैर	पैरों
सुनता	सुनते	हाथ	हाथों
सूंघता	सूंघतें	कान	कानों
गर्दन	गर्दनों	पेट	पेट
अपना	अपने	सोचता	सोचतें
रखता	रखते	काम	काम

Answer the following questions in English.

1. What do we do with our eyes ?
2. What do we do with our hands ?
3. What happens if any one part of our body stops working ?
4. Why do people take exercise ?
5. Name the different parts of the body.

****

लालची कुत्ता

एक कुत्ता था । वह बहुत भूखा था । वह इधर-उधर भोजन के लिए गया । परन्तु उसको कुछ भी न मिला । वह एक कसाई की दुकान पर पहुँचा । वहाँ उसे एक माँस का टुकड़ा मिला ।

कुत्ता माँस का टुकड़ा चोरी करके भाग गया । वह माँस का टुकड़ा किसी एकांत स्थान पर खाना चाहता था ।

रास्ते में वह एक नदी के पुल पर पहुँचा । उसने पानी में अपनी परछाई देखी । पानी में उसको एक और कुत्ता दिखाई दिया । उसके मुँह में भी एक माँस का टुकड़ा था ।

भूखे और लालची कुत्ते ने वह टुकड़ा भी लेना चाहा । उसने भौंकना शूरू कर दिया । उसके मुँह का टुकड़ा पानी में जा गिरा । वह बहुत निराश हो गया । इस प्रकार कुत्ता भूखा ही रह गया ।

THE GREEDY DOG
RUMP STEAK £1 50-1B
LAMB 40p
CHOPS 30p
CHIC 50p

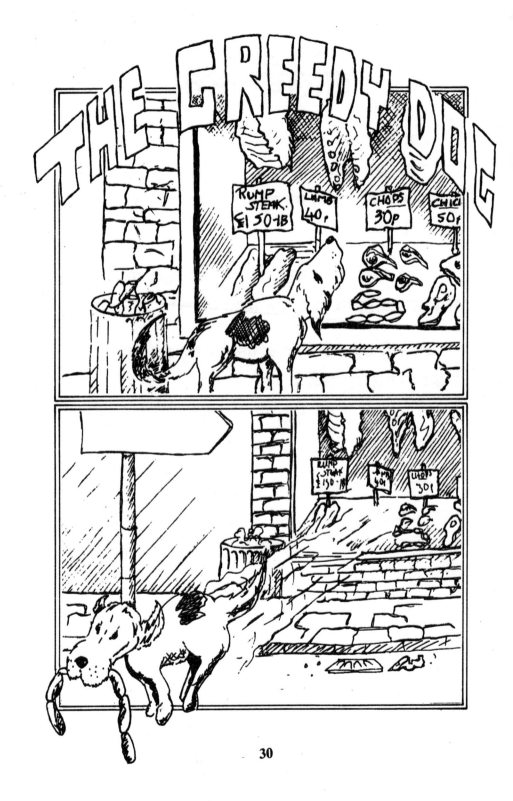

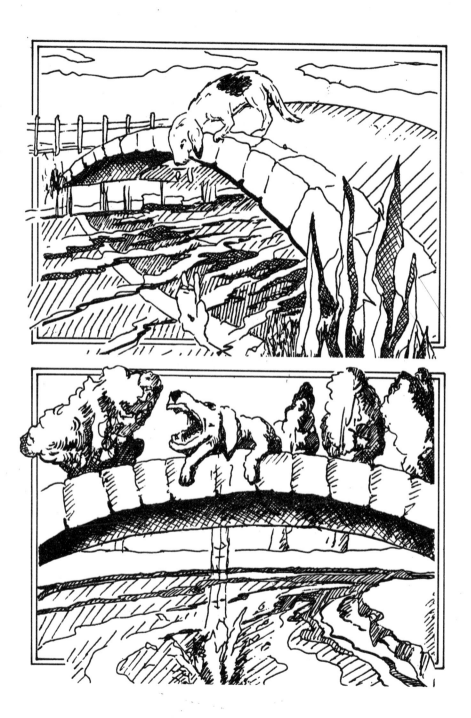

1. इस कहानी को मौखिक रूप में सुनाओ ।

2. निम्नलिखित प्रश्नों के उत्तर दीजिए :—

(क) कसाई की दुकान पर कुत्ते को क्या मिला ?

(ख) कुत्ता मांस का टुकड़ा कहाँ खाना चाहता था ?

(ग) कुत्ते ने पानी में क्या देखा ?

(घ) कुत्ते ने भौंकना क्यों शूरू किया ?

(ङ) उसका अपना माँस का टुकड़ा कहाँ गया ?

3. रिक्त स्थान भरिए :—

(क) एक .... बहुत भूखा था ।

(ख) वह एक कसाई की .... पर पहुँचा ।

(ग) वहाँ उसे एक माँस का .... मिला ।

(घ) उसने पानी में अपमी .... देखी ।

(ङ) भूखे और .... कुत्ते ने वह .... भी लेना चाहा ।

4. निम्नलिखित शब्दों को अपने वाक्यों में प्रयोग करो :—

(i) भूखा (ii) भोजन (iii) टुकड़ा (iv) दौड़े (v) खाना (vi) नदी (vii) पुल (viii) पानी (ix) परछाई (x) निराश ।

Answer the following questions in English.

1. What did the dog get from the butcher's shop ?
2. Where did the dog want to eat the piece of meat ?
3. What did the dog see in the water ?
4. Why did the dog start to bark ?
5. What happened to his own piece of meat ?

डाकिया

यह डाकिये का चित्र है । इसका नाम माईकल है । इस को प्रातः काल बहुत जल्दी उठना पड़ता है । इसका काम बहुत कठिन होता है । वह हमें पत्र, पार्सल और तारें लाकर देता है ।

बड़े-बड़े नगरों में बहुत सारे डाकिये होते हैं । क्योंकि एक डाकिये के लिए समस्त नगर में पत्र बाँटना बहुत कठिन होता है । वह आपस में सड़कें बाँट लेते हैं कि किस सड़क पर किस डाकिये ने पत्र बाँटने हैं ।

सबसे पहले डाकिया हैड पोस्ट आफिस में जाता है और वहाँ से अपनी सड़कों वाले पत्र एक बड़े बैग में डालकर ले आता है । फिर पत्रों को सड़कों के नम्बरों के अनुसार बाँटता है और जिसका पत्र हो उसके घर के द्वार के छेद में से अन्दर फैंक देता है ।

डाकिये की नौकरी बहुत कठिन है । उसको वर्षा तथा बर्फ में भी पत्र बाँटने पड़ते हैं । उसको पत्रों से भरा बहुत भारी थैला उठाना पड़ता है और भार से उसके कंधे थक जाते हैं ।

क्रिसमिस की छुट्टियों से कुछ दिन पहले उसको कई बार डाक बाँटनी पड़ती है । लोग अपने सम्बन्धियों, मित्रों और घर वालों को क्रिसमिस कार्ड और उपहार भेजते हैं । वह कार्ड और उपहार डाकिया ही बाँटता है ।

इसलिए डाकिए हमारे लिए बहुत लाभदायक है । उस बेचारे को केवल रविवार का ही अवकाश होता है । अत: सप्ताह में उसे 6 दिन काम करना पड़ता है ।

अभ्यास (Exercise)

1. ऊपरलिखित वार्ता को ध्यान से पढ़ें और निम्नलिखित प्रश्नों के उत्तर लिखिए ।
   (क)   डाकिये का क्या नाम है ?
   (ख)   डाकिया हमारे लिए क्या लेकर आता है ?

(ग) बड़े-बड़े नगरों में अधिक डाकिये क्यों होते हैं ?

(घ) नगरों में डाकिये आपस में काम किस तरह बाँटते हैं ।

(ङ) डाकिया सबसे पहले हैड पोस्ट आफिस क्यों जाता है ।

(च) डाकिये को सप्ताह में कितने दिन काम करना पड़ता है और उसको किस दिन की छुट्टी होती हैं ?

(छ) यह बताने के लिए कि उसका काम कठिन है कम से कम चार वाक्य अपने शब्दों में लिखो ।

(ज) डाकिया हमारे लिए क्यों लाभदायक है ?

Answer the following questions in English.

1. What is the name of the postman ?
2. What does the postman bring for us ?
3. Why do big cities have lots of postmen ?
4. How do the postmen distribute work among themselves in cities ?
5. Why does the postman go to the Head Post Office first of all ?

****

मन्दिर

संदीप : यह सामने क्या है ? बहुत बड़ी इमारत है ।

मंदीप : यह मन्दिर है ।

संदीप : मन्दिर क्या होता है ?

मंदीप : तुम्हें यह भी पता नहीं ? यह हिन्दुओं का धार्मिक
स्थान होता है ।

संदीप : मन्दिर में लोक क्या करते हैं ?

मंदीप : मन्दिर में लोग हिन्दुओं की धार्मिक पुस्तक में से
पाठ और कीर्तन सुनते हैं ।

संदीप : हिन्दुओं की धार्मिक पुस्तक का नाम क्या है ?

मंदीप : हिन्दुओं की धार्मिक पुस्तक का नाम श्री भगवत्
गीता है । सभी हिन्दु श्री भगवत् गीता का बहुत
सम्मान करते हैं ।

HINDU MANDIR

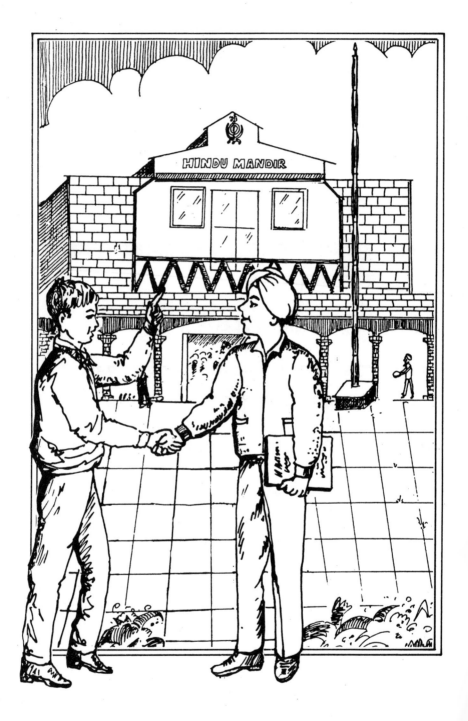

संदीप : पाठ क्या होता है ?

मंदीप : श्री भगवत् गीता को पढ़ने को पाठ करना कहते हैं ।

संदीप : कीर्तन क्या होता है ?

मंदीप : श्री भगवत् गीता के श्लोकों को गा कर सुनाने को कीर्तन कहते हैं ।

संदीप : मन्दिर में पाठ कौन करता है ?

मंदीप : मन्दिर में पाठ करने वाले को पुजारी कहते हैं । पाठ करने से पहले पुजारी अपना हाथ मुंह धोता है और उसे साफ सुथरे वस्त्र पहनने पड़ते हैं ।

संदीप : क्या मन्दिर में हर कोई जा सकता है ?

मंदीप : हाँ, मन्दिर में किसी को भी जाने से रोका नहीं जाता । हर स्त्री पुरुष चाहे वह किसी भी धर्म पार्टी तथा रंग का हो मन्दिर जा सकता है । परन्तु मन्दिर के भीतर जाने से पहले कुछ बातों का विशेष ध्यान रखना पड़ता है ।

संदीप : मन्दिर के भीतर जाने से पहले क्या करना चाहिए ?

मंदीप : मन्दिर के भीतर जाने से पहले निम्नलिखित कार्य करने चाहिए :—

1. अपना सिर किसी रूमाल से ढक लेना चाहिए । यदि आपने पगड़ी बाँधी हुई है या दुपट्टा लिया हुआ है तो ठीक है ।

2. आपके पास कोई तम्बाकू वाली वस्तु सिगरेट आदि नहीं होनी चाहिए ।

3. अपने जुते खोल कर बाहर रखने चाहिए ।

4. बीयर या शराब पीकर मन्दिर में नहीं जाना चाहिए ।

संदीप : मन्दिर के भीतर जा कर क्या करना चाहिए ।

मंदीप : मन्दिर के भीतर जा कर श्री भगवान की मूर्ति के आगे माथा टेकने के पश्चात् बैठ जाना चाहिए ।

संदीप : क्या मन्दिर के भीतर कहीं भी बैठ सकते हैं ?

मंदीप : आप कहीं भी बैठ सकते हैं । पर आम तौर पर स्त्रियां एक ओर तथा पुरूष दुसरी ओर बैठते हैं । यह एक परम्परा ही बन गई है यद्यपि इस बारे में कोई विशेष नियम नहीं हैं ।

संदीप : तुम्हें तो मंदीप मन्दिर के बारे में बहुत जानकारी है । मुझे तो कुछ पता भी नहीं था । मैंने तुमसे आज बहुत कुछ सीखा है । मैं तुम्हारा बहुत अभारी हूँ । क्या तुम मुझे मन्दिर और हिन्दू धर्म के बारे में कुछ और बातें भी बता सकते हो ?

मंदीप : आज तो नहीं, क्योंकि आज मुझे घर जल्दी जाना है, परन्तु फिर कभी यदि समय मिला तो ज़रूर बताऊँगा ।

अभ्यास (Exercise)

1. निम्नलिखित प्रश्नों के उत्तर लिखो :—
   (क) मन्दिर क्या होता है ?
   (ख) लोग मन्दिर क्यों जाते हैं ?

(ग) इंग्लैंड में किस दिन अधिक लोग मन्दिर जाते हैं ?

(घ) कोई तीन बातें लिखो जिनका मन्दिर के भीतर जाने से पूर्व ध्यान रखना चाहिए ?

(ङ) सन्दीप और मन्दीप में से किस को मन्दिर के बारे अधिक जानकारी है ?

2. रिक्त स्थानों की पूर्ति करो :—

(क) हिन्दुओं का धार्मिक स्थान .... होता है ।

(ख) हिन्दुओं की धार्मिक पुस्तक का नाम .... है ।

(ग) मन्दिर में .... करने वाले को .... कहते हैं ।

(घ) मन्दिर के भीतर जाने से पहले अपने .... खोल कर .... रख देने चाहिए ।

(ङ) सन्दीप और मन्दीप में से .... को मन्दिर के बारे में अधिक जानकारी थी ।

Answer the following questions in English.

1. What is a Mandir ?
2. Why do people go to the Mandir ?
3. On what day do most people go to the Mandir in England ?
4. Write three things which people should do before entering the Mandir ?
5. Who knows more about the Mandir – Sandeep or Mandeep ?

चूहों की सभा

एक गांव में बहुत सारे चुहे रहते थे । वहाँ एक बिल्ली भी रहती थी । बिल्ली प्रतिदिन एक चूहा पकड़ कर खा लेती थी । इस से चुहे बड़े तंग आ गये थे । उन की संखया प्रतिदिन घटती जा रही थी । चूहे प्रति दिन एक दूसरे से बातें करते और सोचते रहते कि किस प्रकार बिल्ली से बचा जाये । कुछ बुद्धिमान चूहे काफ़ी देर सोचने के पश्चात इस निष्कर्ष पर पहुँचे कि एक दिन सभी चुहों की सभा बुलानी चाहिए ताकि बिल्ली से बचने के लिए कोई न कोई योजना बनाई जाये ।

अन्त में उन्होंने एक दिन सभा बुलाई जिस में गाँव के सारे चूहे इक्ट्ठे हुए । सभा में प्रत्येक चूहे ने अपने-अपने विचार प्रकट किए । एक चुहे की योजना सब को पसन्द आई, उसने कहा कि बिल्ली के गले में एक घंटी बाँध देनी चाहिए जिसको सुनकर हम शीघ्र अपने-अपने बिल्लों में घुस जाया करेंगे ।

BAN
THE
CAT

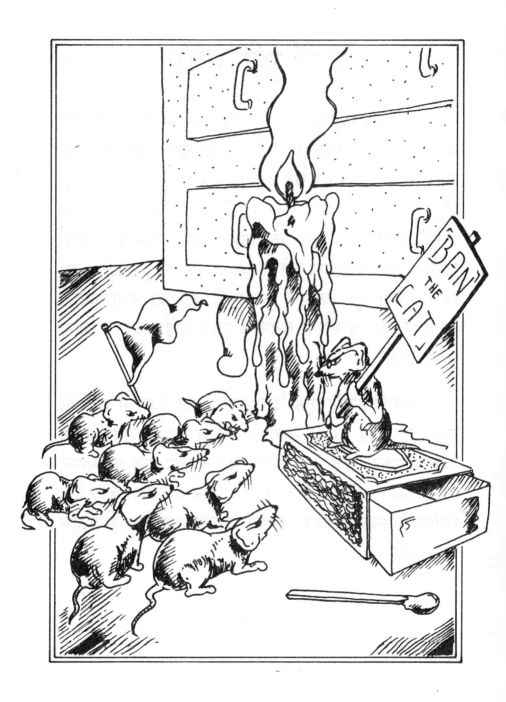

उनमें से एक चूहा बहुत बुद्धिमान था । उसने कहा कि यह योजना तो बहुत अच्छी है परन्तु बिल्ली के गले में घण्टी बंधने का साहस कौन करेगा । यह सुनकर चूहे फिर सोच में पड़ गए । अभी चूहों की सभा चल रही थी कि सामने से बिल्ली आ गई । बिल्ली को देखते ही सारे चूहे दौड़कर अपने-अपने बिल में घुस गए ।

अभ्यास (Exercise)

1. ऊपर लिखी कहानी को ध्यान से पढ़िए और निम्नलि- खित प्रश्नों के उत्तर लिखिए :—

   (क) चूहे बिल्ली से क्यों तंग थे ?

   (ख) बिल्ली से बचने के लिए चूहों ने क्या सोचा ?

   (ग) एक चूहे ने बिल्ली से बचने के लिए क्या योजना बताई ?

   (घ) एक बुद्धिमान चूहे ने क्या कहा था ?

   (ङ) सभा को बीच में ही छोड़कर चूहे दौड़ कर कहाँ चले गए ?

   (च) चूहों को अचानक सभा छोड़कर क्यों भागना पड़ा ?

2. निम्नलिखित शब्दों को अपने वाक्यों में प्रयोग करो :—
तंग, गिनती, बुद्धिमान, निष्कर्ष, योजना, विचार, प्रकट, घंटी, बिल, चतुर, साहस, सोच, सामने से ।

3. निम्नलिखित शब्दों के वचन बदलो :—
चूहा, बिल्लियाँ, योजना, सभाएँ, बिल, सोच, साहस, बातें, घंटी, अच्छी, अपना, दिनों ।

Answer the following questions in English.

1. Why were the mice unhappy ?
2. What did the mice think to escape from the cat ?
3. One mouse told the meeting a scheme to escape from the cat. What was it ?
4. What did a wise mouse say about this scheme ?
5. Where did the mice run to during the meeting ?
6. Why did the mice have to run all of a sudden and leave the meeting ?

****

कमलजीत का साईकिल

कमलजीत एक लड़का है । उसकी आयु चौदह वर्ष है । वह साईकिल चलाना बहुत पसन्द करता है । आज बहुत गर्मी है । सूरज चमक रहा है । कमलजीत बाहर सड़क पर अपना साईकिल चला रहा है ।

कमलजीत के दोनों हाथ साईकिल के हैण्डल पर हैं । उसने एक हाथ से साईकिल की ब्रेक भी हैण्डल के साथ पकड़ी हुई है ताकि वह साईकिल को जब चाहे खड़ा कर सके । उसके पाँव साईकिल के पैण्डलों पर हैं ।

गर्मीयों में सारे बच्चे साईकिल चलाना पसन्द करते हैं । पर कई बच्चे सड़क पर ध्यान से साईकिल नहीं चलाते । वे सड़क पर चलने वाली कारों, लारियों तथा ट्रकों का कोई ध्यान नहीं रखते जिसके कारण कई बार दुर्घटनाएं हो जाती हैं ।

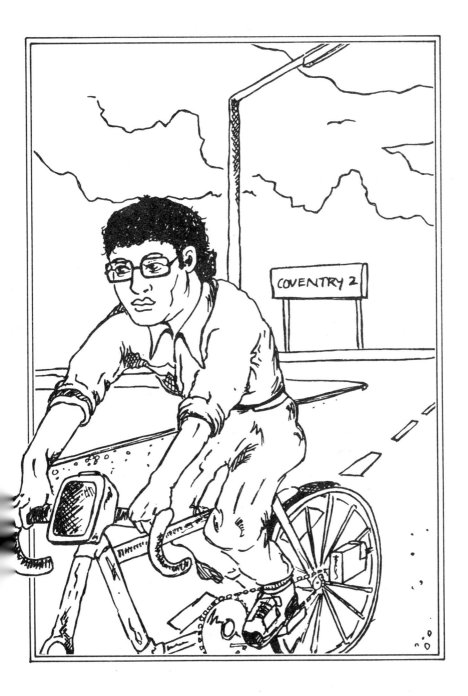

COVENTRY 2

साईकिल चलाना स्वास्थ्य के लिए बहुत अच्छा है । साईकिल चलाने से शरीर के सारे अंगों का व्यायाम हो जाता है और शरीर चुस्त रहता है । पर साईकिल चलाते समय सब बच्चों को विशेष ध्यान रखने की आवश्यकता है । आज कल सड़कों पर कारों, बसों और ट्रकों की भारी गिणती होती है, इसलिए साईकलि चलाना कोई आसान नहीं है ।

सर्दी की ऋतु में साईकिल चलाना और भी कठिन है । विशेषकर के इंग्लैंड और कई और ठंडे देशों में जहां सर्दी और बर्फ अधिक पड़ती है । बर्फ में साईकिल फिसल सकता है और कई बार यदि ध्यान से साईकिल न चलाया जाए तो चोट भी लग सकती है । बीस पच्चीस साल पहले जब बहुत मोटरें, कारें और गाड़ियाँ नहीं होती थीं तो लोग अधिकतर साईकिल ही चलाया करते थे । आजकल लोग साईकिल कम ही चलाते हैं । छोटे बच्चे या स्कूल में पढ़ने वाले बच्चे ही आजकल साईकिल चलाते देखे जाते हैं ।

आभ्यास (Exercise)

निम्नलिखित प्रश्नों के उत्तर पूरे वाक्यों में दीजिए :—

1.   कमलजीत की आयु कितनी है ?

(i) पन्द्रह साल (ii) बीस साल (iii) चौदह साल ।

2. कमलजीत बाहर क्या कर रहा है ?

(i) साईकिल चला रहा है । (ii) कार चला रहा है ।
(iii)फुटबाल खेल रहा है ।

३. कमलजीत के हाथ कहाँ हैं ?

(i) कोट की जेबों में । (ii) साईकिल के हैण्ड़ल पर (iii) पैंट की जेबों में ।

4. कमलजीत के पैर कहाँ हैं ?

(i) पैण्डलों पर (ii) बूटों में, (iii) रज़ाई में ।

5. साईकिल चलाना कब कठिन होता है ?

(i) जब मौसम साफ और धूप हो

(ii) जब बर्फ पड़ी हुई हो (iii) जब रोटियां बहुत खाई हुई हों ।

6. निम्नलिखित प्रश्नों के उत्तर दीजिए :–

(क) अधिकतर बच्चे किस मौसम में साईकिल चलाना पसंद करते हैं ?

(ख) सड़क पर साईकल चलाते समय अधिक ध्यान क्यों रखना चाहिए ।

(ग) साईकिल चलाना स्वास्थ्य के लिए क्यों आव-श्यक होता है ?

(घ) किस मौसम में साईकिल चलाना कठिन होता है ।

(ङ) बीस पच्चीस वर्ष पहले अधिक लोक साईकिल क्यों चलाया करते थे ।

Answer the following questions in English.

1. How old is Kamaljit ?
2. What is Kamaljit doing outside ?
3. Where are Kamaljit's hands ?
4. Where are Kamaljit's feet ?
5. When is cycling hard ?
6. When do most children like cycling ?
7. Why should people take more care cycling on the road ?
8. Why is cycling useful for health ?
9. Why did more people cycle about twnety five years ago ?

****

शेर तथा चूही

एक शेर जंगल में रहता था । गर्मियों के दिन थे । एक दिन शेर एक वृक्ष की ठंडी छाया में सोया हुआ था । पास के एक बिल में एक चूही रहती थी ।

चूही अपने बिल में से बाहर आई और शेर को देखकर उसे एक शरारत सूझी । वह शेर के शरीर पर चढ़ गई और नाचने लगी ।

शेर को तत्काल जाग आ गई । पहले ते शेर ने कुछ न कहा, परन्तु जब वह मस्ती हुई नाचने से न हटी तो शेर को गुस्सा आ गया । उसने चूही को अपने पंजे में पकड़ लिया । शेर चूही को अपने पंजे में जकड़ कर मारने ही लगा था कि चूही को अपनी भूल का अनुभव हुआ और वह रोने लगी । चूही ने शेर को बड़ी नम्रतापूर्वक कहा, "हे जंगल के बादशाह मुझ से बहुत बड़ी भूल हो गई है । इस बार मुझे क्षमा कर दो । आगे से मैं ऐसी गल्ती कभी नहीं करूँगी ।"

THE LION AND THE MOUSE! शेर तथा चूही

शेर को चूही पर दया आ गई । उसने चूही को छोड़
दिया । चूही ने शेर का धन्यवाद किया । अब चूही शेर से
बचकर बहुत प्रसन्न थी । चूही अपने दिल में सोचती थी कि
समय आने पर वह शेर की इस दयालुता का अवश्य बदला
चुकायेगी । कुछ दिनों के पश्चात् एक शिकारी उस जंगल
में आया ।

उसने शेर को पकड़ने के लिए अपना जाल बिछा
दिया । शेर शिकारी के जाल में फंस गया । उसने अपने

आप को जाल से मुक्त करवाने का बहुत प्रयत्न किया, परन्तु
वह जाल से बाहर न आ सका । अब जब शेर को जाल से

बाहर निकलने की कोई आशा न रही तो उसने दहाड़ना शुरू कर दिया ।

चूही ने शेर की आवाज़ को तत्काल पहचान लिया । उसने अपने सारे परिवार को इकट्ठा किया और सारे परिवार के साथ शेर के पास पहुँच गई । उन्होंने अपने तेज दाँतों से जाल को काट दिया और शिकारी से शेर को बचाया । इस के पश्चात् शेर ने चूही के परिवार का धन्यवाद किया ।

अभ्यास (Exercise)

1. निम्नलिखित प्रश्नों के उत्तर लिखो :—
   (क) शेर कहाँ सोया हुआ था ?
   (ख) चूही कहाँ रहती थी ?
   (ग) चूही ने शेर के शरीर पर चढ़ कर क्या किया ?
   (घ) शेर चूही को पंजे में जकड़ कर क्या करने लगा था ?
   (ङ) शेर ने चूही को क्यों छोड़ दिया ?
   (च) शिकारी ने शेर को पकड़ने कि लिए क्या किया ?

(छ) जब शेर को जाल से बाहर निकालने की कोई आशा न रही तो शेर ने क्या किया ।

(ज) चूही ने शेर की आवाज़ सुनकर क्या किया ?

(झ) चूही ने शेर को शिकारी से किस प्रकार बचाया ?

(ञ) शेर ने चूही का धन्यावाद क्यों किया ?

2. रिक्त स्थान भरिए :–

(क) एक शेर एक .... में रहता था ।

(ख) चूही अपने .... में से बाहर निकली और .... को देखकर उसको एक .... सूझी ।

(ग) शेर को चूही पर .... आ गया ।

(घ) कुछ दिनों के पश्चात् एक .... उधर आ गया ।

(ङ) चूही ने .... की आवाज़ को पहचान लिया ।

Answer the following questions in English.

1. Where was the lion sleeping ?
2. Where was the mouse ?

3. What did the mouse do after climbing on the lion's body ?
4. What was the lion about to do while holding the mouse in his paw ?
5. Why did the lion leave the mouse ?
6. What did the hunter do to catch the lion ?
7. What did the lion start to do when he had no hope to escape ?
8. What did the mouse do after hearing the lion roar ?
9. How did the mouse help the lion to get free ?
10. Why did the lion thank the mouse ?

****

ग्रीष्म ऋतु

ग्रीष्म ऋतु थी । बच्चे ग्रीष्म ऋतु को बहुत पसन्द करते हैं । वे सारा दिन घर से बाहर रहना चाहते हैं । पार्कों में फुटबाल तथा अन्य खेल खेलते हैं । कई बच्चे तो अपना खाने-पीने का समय भी भूल जाते हैं और खेलों में ही मस्त रहते हैं ।

बृद्ध लोग भी गर्मी को बहुत पसंद करते हैं । वे भी पार्कों में जा कर एक दूसरे से बातें करते हैं । समाचार पत्रों के समाचार एक दूसरे को सुनाते हैं ।

कई बृद्ध लोग अपनी समस्याएं एक दूसरे को बताते हैं । कई ताश खेलते हैं और एक दूसरे को मज़ाक करते हैं । वे सर्दी को बिल्कुल पसंद नहीं करते क्योंकि सर्दी में वे घरों में ही बंद रहते हैं ।

एक दिन बहुत गर्मी थी । एक आईसक्रीम की गाड़ी हमारे घर के सामने आकर खड़ी हो गई । गाड़ी वाले ने

ICE'S
13

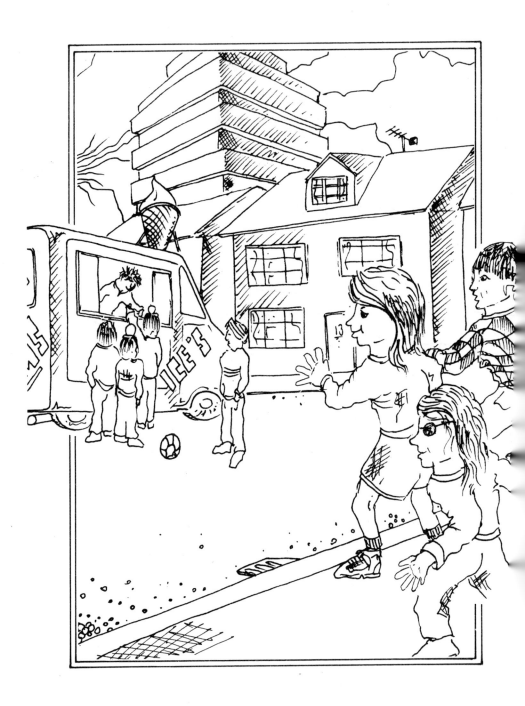

घण्टियां बजानी शुरू कर दीं । घण्टियों की आवाज़ सुन कर आस-पड़ोस के बच्चे गाड़ी की ओर दौड़ने लगे । कई बच्चे तो अपनी खेलों को बीच में ही छोड़ कर दौड़े । ग्रीष्म ऋतु में बच्चे आईसक्रीम को बहुत पसन्द करते हैं ।

अभ्यास (Exercise)

1. रिक्त स्थान भरिए :—

(क) बच्चे .... ऋतु को बहुत ....
करते हैं ।

(ख) कई बच्चे अपना खाने-पीने का .... भी
भूल जाते हैं और .... में ही मस्त रहते
हैं ।

(ग) वृद्ध .... भी .... को बहुत पसन्द
करते हैं ।

(घ) एक आईसक्रीम की .... हमारे घर के
.... आकर खड़ी हो गई । कई बच्चे तो
अपनी .... को भी .... छोड़कर
दौड़े ।

2. नीचे लिखे प्रश्नों के उत्तर एक से अधिक दिये गए हैं । इनमें से एक उत्तर ठीक है । ठीक उत्तर ढूँढ कर पूरे वाक्यों में अपनी कापी में लिखिए :–

(क) कई बच्चे अपने खाने-पीने का समय क्यों भूल जाते हैं ?

(i) उनको भूख नहीं लगती ।

(ii) वे खेलों में मस्त रहते हैं ।

(iii) वे खाना पसन्द नहीं करते ।

(ख) वृद्ध लोग सर्दियों को क्यों नहीं पसन्द करते ?

(i) क्योंकि वे बाज़ार नहीं जा सकते ।

(ii) क्योंकि वे एक दूसरे को पार्कों में नहीं मिल सकते ।

(iii) क्योंकि वे घरों में ही बन्द रहते हैं ।

(ग) आईसक्रीम की गाड़ी कहाँ आ कर खड़ी हो गई ?

(i) हमारे घर के सामने ।

(ii) पार्क में ।

(iii) हमारे स्कूल के पास ।

(घ) बच्चे आईसक्रीम की गाड़ी की ओर क्यों दौड़ने लगे ?

(i) फुटबाल खेलने के लिए । (ii) आईसक्रीम लेने के लिए । (iii) आईसक्रीम की गाड़ी देखने के लिए ।

3. निम्नलिखित प्रश्नों के उत्तर अपनी कापी में लिखिए :—

(ख) ग्रीष्म ऋतु के बारे में कोई पांच वाक्य लिखिए ।

(ग) शरद (सर्दी) ऋतु के बारे में पाँच वाक्य लिखो ।

Answer the following questions in English.

1. Why do some children forget to eat when playing ?
2. Why do old people not like winter ?
3. Where did the ice-cream van stop ?
4. Why did the children run towards the ice-cream van ?
5. Write any five sentences about summer.
6. Write any five sentences about winter.

****

कुलवीर और संदीश

कुलवीर एक बहुत अच्छी लड़की है । वह प्रति दिन प्रातः काल साढ़े छः बजे सोकर उठती है । पौने सात बजे तक वह अपने हाथ-मुँह धो लेती है । फिर उसकी मम्मी जी कुलवीर को एक चाय का कप ला कर देती है । चाय पीकर वह सात बजे पढ़ना आरम्भ कर देती है ।

कुलवीर की आयु चौदह वर्ष है । वह सैकण्डरी स्कूल में पढ़ती है । उसको पढ़ाई का बहुत काम करना पड़ता है क्योंकि वह पढ़ाई के पश्चात् एक अच्छी नौकरी पर लगना चाहती है । कुलवीर को पता है कि आजकल अच्छी पढ़ाई के बिना एक अच्छी नौकरी नहीं मिलती । इसीलिए वह प्रतिदिन रात को साढ़े सात बजे से दस बजे तक और प्रातः काल को सात बजे से पौने आठ बजे तक दिल लगा कर पढ़ाई करती है ।

कुलवीर का एक छोटा भाई है । उसका नाम संदीश है । संदीश की आयु आठ वर्ष है । वह अभी जूनियर स्कूल

में ही पढ़ता है । संदीश कुलवीर के साथ रात को साढ़े सात बजे से सवा नौ बजे तक पढ़ता है । फिर वह सो जाता है । कुलवीर दस बजे तक अकेली ही पढ़ती रहती है । संदीश प्रातः काल को भी कुलवीर के साथ नहीं उठता । कुलवीर उसे साढ़े सात बजे जगाती है और वह पौने आठ बजे तक अपना हाथ-मुँह धो लेता है ।

कुलवीर और संदीश के मम्मी जी एक फैक्ट्री में काम करते हैं । वह पौने आठ बजे प्रातः काल को घर से चले जाते हैं । जाने से पहले वह कुलवीर और संदीश के लिए नाश्ता बना कर रख जाती है । उनके डैडी जी (पिता जी) भी फैक्ट्री में काम करते हैं । दोनों मम्मी और डैडी पौने आठ बजे घर से चले जाते हैं ।

दोनों कुलवीर और संदीश इकट्ठे आठ बजे नाश्ता करते हैं और फिर अपने स्कूल को पैदल चले जाते हैं ।

अभ्यास (Exercise)

1.   रिक्त स्थान भरिए :—
    (क)   कुलवीर के मम्मी जी उसको एक .... का कप ला कर देते हैं ।

(ख)	कुलवीर की आयु .... वर्ष है ।

(ग)	कुलवीर को पता है कि आजकल अच्छी .... के बिना कोई अच्छी .... नहीं मिलती ।

(घ)	संदीश की बहन का नाम .... है ।

(ङ)	संदीश अभी .... स्कूल में पढ़ता है ।

2.	निम्नलिखित प्रश्नों के उत्तर लिखिए :—

(क)	कुलवीर कितने बजे सो कर उठती है ?

(ख)	चाय पी कर कुलवीर क्या करती है ?

(ग)	कुलवीर अधिक पढ़ाई क्यों करती है ?

(घ)	कुलवीर की पढ़ाई का क्या-क्या समय है ?

(ङ)	संदीश किस स्कूल में पढ़ता है ?

(च)	संदीश अपनी बहन कुलवीर से कितने वर्ष छोटा है ?

(छ)	कुलवीर अपने छोटे भाई को कब जगाती है ?

(ज)	संदीश और कुलवीर के मम्मी और डैडी जी कहाँ काम करते हैं ?

(झ)	संदीश और कुलवीर का नाश्ता कौन बनाता है ?

(ञ) वे नाश्ता कब करते हैं ?

3. अपनी कापी में लिखिए :—

एक वचन	बहु वचन	एक वचन	बहु वचन
अच्छा	अच्छे	उठता	उठते
देवता	देवते	पढ़ता	पढ़ते
पढ़ता	पढ़ते	छोटा	छोटे
जाता	जाते	जगाता	जगाते
लेता	लेते	रहता	रहते
खाता	खाते	स्कूल	स्कूलों
वर्ष	वर्षों	वह	वे
फैक्ट्री	फैक्ट्रियों	पढ़ाई	पढ़ाइयाँ
नौकरी	नौकरियां		

Answer the following questions in English.

1. At what time does Kulbir get up ?
2. What does Kulbir do after taking tea ?
3. Why does Kulbir work hard in her studies ?
4. What are the times of Kulbir's study ?
5. What is the name of Sandish's school ?
6. By how many years is Sandish younger than Kulbir ?
7. When does Kulbir wake her younger brother Sandish up ?
8. Where do Kulbir and Sandish's parents work ?
9. Who prepares breakfast for Kulbir and Sandish ?
10. When do they eat their breakfast ?

पाठ (1)

रणबीर

Hindi	English	Hindi	English
हाथ	hand	सूची	list
किताब	book		
वह	he	में	In
कमरे	rooms	है	is
पर	on	उसकी/ उसका	his/her
उसकी	his/her	कुर्सी	chair
पुस्तकें	books	बैठा	sitting
को	to	मेज़	table
अन्य	other	कुछ	some
थैला	bag	हैं	are
नीचे	on the floor	और	and
क्या	what	वस्तुएं	things
चलाता है	drives	निकट (पास)	near
रुमाल	handkerchief	पढ़ा है	is lying
कहाँ	where	करता है	does

खेलता है	plays	समस्त	all
पढ़ता है	reads	बना कर	prepare

पाठ (2)

सूज़न की मम्मी रसोई में

Hindi	English	Hindi	English
रसोई	kitchen	धोती है	washes
है	is	आज	today
साफ सुथरा	neat and clean	समाप्त करके	after finishing
पसन्द करती है	likes	जाना है	to go
कम से कम	at least	साथ	with
साफ करती है	cleans	इसलिए	therefore
अधिक समय	lot of time	खुश है	happy
नाम	name	क्या	what
खड़ी है	standing	खाने-पीने	eatables
झूठे	dirty	की वस्तुएं	things
में	in	कहाँ	where
वह	she	कपड़े	clothes
रखना	keep	दरवाज़ा	door
प्रतिदिन	everyday	बाहर	outside
एक बार	once	क्यों	why
अपना	her	वस्तुएं	things
गुज़रती है	spends	क्योंकि	because

निकट	near	जो	which
प्रयाप्त (काफी)	a lot of	बर्तन	utensils
अन्य	other	काम	work
बाज़ार	market	भी	also
जायेगी	will go	बहुत	very

पाठ (3)

श्रीमती जोनज़

Hindi	English	Hindi	English
एक	one	प्राम	pram
धकेलना	pushing	की ओर	towards
जा रही है	is going	उसकी	her
पूत्त	son	सोया पढ़ा है	sleeping
उसकी	her	कुत्ता	dog
भी	also	साथ	with
बंधा हुआ	tied	नाम	name
बाहर जाना	going out side	पासन्द करता है	likes
जब भी	whenever	साथ लेकर-	takes-
पति	husband	जाती है	with her
और	and	काम करना	works
परन्तु	but	देखभाल	lookafter
अन्य	other	घर का काम	house work
कितनी दूर	how far		

पाठ (4)

श्रीमती जोनज़ बाजार में

Hindi	English	Hindi	English
पहूँच गई	reached	हर प्रकार	all kinds
दुकानें	shops	माँस	meat
कुछ	some	फल	fruit
खरीदना	to buy	इसलिए	therefore
सारे	all	दुकानदार	shopkeeper
बड़े सजाकर –	arranged them	इस	this
रखे हुए हैं	in good order	से	from
वाक्य	sentences	आप	you
अपने –	in your	और कई–	many other
शब्दों में	own words	प्रकार के	types
संगतरे	orange	केले	bananas
अंगूर	grapes	खरबूज़े	melons
आम	mangoes	सेब	apple
चलकर	walk	खुश	happy
अकस्मात	bychance	मिलता है	meets

पाठ (5)

संगीता

Hindi	English	Hindi	English
मैं	I	लड़की	girl
हूँ	am	मेरा	my
कद	height	फुट	feet
बाल	hair	काले	black
आंखे	eyes	नीली	blue
हैं	are	जन्म	birth
पढ़ती हूं	study	छोटा/ छोटी	younger
उसी स्कूल में	in the same school	बड़ा	elder
हमारा घर	our home	बिल्कुल	quite
निकट	near	कापी	exercise book
चल कर	walk	संगीता की तरह	like Sangeeta
अपने आप	yourself	दस वाक्य	ten sentences
ऊपर की	above	सूचना	information
परिवर्तन	change	कितने	how many
लिखिए	write	बहन	sister
भाई	brother	बड़ा	elder
क्यों	why	नहीं	not

पाठ (6)
शरीर के अंग

Hindi	English	Hindi	English
शरीर	body	के	of
अंग	parts	हमारा	our
मिलकर बना है	is made of	कई	several
सिर	head	जैसे के	e.g.
आँखें	eyes	मूँह	mouth
कान	ear	नाक	nose
बाज़ू	arms	गर्दन	neck
टाँगें	legs	पेट	stomach
पैर	feet	हाथ	hands
इत्यादि	etc.	जीभ	tongue
काम	function/work	हर	every
हम	we	अपना/ अपनी	own
देखते हैं	see	प्रकार	kinds
करते हैं	do	खाते	eat
चलना फिरना	walk	सुनते हैं	hear
सूंघना	smell	चखना	taste
दिमाग	brain	लिए	for
सोचते हैं	think	यह	this
बहुत	very	इसका	its/his/her
ज़रूरी	important	काम करें	work

प्रत्येक	everyone	सबको	all
ठीक प्रकार से	properly	कोई	anyone
यदि	if	हट जाए	stop
से	from	अयोग्य	unable
अच्छी तरह	properly	इसलिए	therefore
तब	then	देखभाल	lookafter
पूरी-पूरी	full	बहुत ज़रूरी	very important
सफाई	cleanliness	ताकि	so that
से	from	बिमारियां	diseases
व्यायाम करने से	with exercise	बचा सके	saved

पाठ (7)

लालची कुत्ता

Hindi	English	Hindi	English
लालची	greedy	था	was
भूखा	hungry	इधर	here
उधर	there	भोजन	food
के लिए	for	गया	went
पर	but	कुछ भी न	nothing
मिला	found	दुकान	shop
पहूँचा	reached	वहां	there
माँस	meat	टुकड़ा	piece
चोरी	steal	दौड़ गया	ran away

अकेली	lonely	स्थान	place
रास्ते में	on the way	चाहता था	wanted
पुल	bridge	नदी	river
प्रतिबिम्ब/ परछाई	reflection	पानी	water
देखा	saw	एक और	another
उदास	sad	गिरा	fell

पाठ (8)

डाकिया

Hindi	English	Hindi	English
डाकिया	postman	रिश्तेदार	relative
सवेरे	morning	घर के सदस्य	members of family
उठना पड़ता है	to get up	केवल	only
कठिन	hard	सप्ताह	week
चिट्ठियां	letters	दिन	day
लाकर देना	bring	काम	work
शहर	cities	तारें	telegrams
बाँटना	distribute	बड़े	big
कौन सी	which	वास्ते	for
बड़े	big	सड़क	road
अनुसार	according to	सबसे पहले	first of all
दरवाज़ा	door	फिर	then

में से	through	छांटता है	sorts out
नौकरी	service	छेद	holes
बाँटना	deliver	फेंक देता है	throws
उठाना	carry	वर्षा	rain
थक जाना	to get tired	भरा हुआ	full
कंधे	shoulders	लाभदायक	useful
छुट्टियां	holidays	मित्र	friends
छः	six	उपहार	presents
भेजतें हैं	send		

पाठ (9)

मन्दिर

Hindi	English	Hindi	English
सामने	in front of	बड़ी	big
भवन	building	तुम्हें	you
धार्मिक	religious	स्थान	place
लोग	people	पुस्तक	book
पाठ	reading of the religious book	कीर्तन	religious - singing
श्री भगवत् गीता	Sri Bhagwat Geeta	श्लोक	verses from religious book
पुजारी	person who reads Bhagwat Geeta	सम्मान	respect

पढ़ना	read	कहते हैं	called
साफ सुथरे	neat and clean	रोका नहीं जाता	not forbiden
हाथ	hands	मुँह	face, mouth
स्त्री	woman	धोता है	washes
धर्म	religion	रंग	colour
पढ़े है	wear	बातें	things
प्रत्येक	every	पार्टी	party
पुरुष	man	भीतर	inside
पहले	before	विशेष	special
लिखा हुआ	written	ध्यान	care
ढकना	cover	नीचे	below
पगड़ी	turban	सिर	head
बन्दी हुई	tied	रुमाल	handkerchief
ठीक है	all right	दुपट्टा	ladies head cover
खोल कर	take off	तम्बाकु	tobacco
शराब	liquor	जूती	shoes
कहा भी	any where	अथवा	or
नियम	rules	मथा टेकना	bow
वैसे	otherwise	सीखा	learnt
जानकारी	knowledge	परम्परा	custom
धन्यवादी	thankful	शीघ्र	quickly
अभारी	grateful		

पाठ (10)

चूहों की सभा

Hindi	English	Hindi	English
चूहे	mice	गाँव	village
रहते थे	lived	वहाँ	there
बिल्ली	cat	प्रतिदिन	every day
तंग	fed up	उनकी	their
कम होना	getting less	गिनती	number
बातें करना	talk	सोचना	think
कुछ	some	समझदार	wise
निष्कर्ष	conclusion	सभा बुलाना	to call a meeting
अन्त में	in the end	इक्ट्ठे हुए	gathered
विचार	thoughts	प्रकट किए	expressed
पसंद आई	liked	गर्दन	neck
घंटी	bell	सुनकर	having heard
अन्दर जाना	to go into	बिल	holes
कौन साहस करेगा	who will dare	बुद्धिमान	wise
सोच में पड़ गये	began to think	जारी ही था	continuing

पाठ (11)

कमलजीत का साईकिल

Hindi	English	Hindi	English
लड़का	boy	आयु	age
चौदह	fourteen	वर्ष	years
गर्मी	hot	सूरज	sun
चमक रहा है	shines	जब चाहे	wherever he wants
रोकना	to stop	ध्यान से	with care
कई बार	many times	स्वास्थ्य	health
बहुत अच्छा	very good	आसान नहीं	not easy
सर्दी	winter	विशेष	especially
कठिन	difficult	सर्दी	cold
ठण्डे देश	cold countries	चोट	injuries
बर्फ	snow	बीस	twenty
पच्चीस	twenty five	अधिकतर	largely
आजकल	these days	वृद्ध लोग	old people
देखे जाते हैं	are seen	जेबों	pockets
खेलना	play		

पाठ (12)

"शेर तथा चूही"

Hindi	English	Hindi	English
शेर	lion	चूही	mouse
जंगल	forest	वृक्ष	tree
ठण्डी	cool	छाया	shade
सोया हुआ था	was sleeping	निकट ही	near by
बाहर आई	came out	शरारत	mischief
सूझी	thought	एक दम	at once
जाग पड़ी	woke up	कुछ न कहा	did not say anything
रुकी नहीं	did not stop	क्रोध	angry
पँजे	paw	मारना	to kill
गल्ती	mistake	अनुभव किया	felt
बादशाह	king	रोने लग पड़ी	began to cry
भूल	mistake	क्षमा करना	excuse
इस बार दया-आ गई	this time took pity on	धन्यवाद किया	thanked
अवसर	chance	भूखा	hungry
दिल	heart	पीछे	after
दयालुता	kindness	फंस गया	caught
बदला चुकाना	to pay back	दहाड़ना	roar
जाल	net	आवाज़	voice
आज़ाद किया	got free	परिवार	family
प्रयत्न किया	tried	साथ	with

पहचान लिया	recognised	दाँत	teeth
इक्ट्ठा किया	collected	तीखे	sharp
बचाया	saved		

पाठ (13)

ग्रीष्म ऋतु

Hindi	English	Hindi	English
ग्रीष्म ऋतु	summer	ऋतु	season
था	was	बच्चे	children
दिन	day	घर	home
से	from	बाहर रहना	stay out
खाना-पीना	eating	समय	time
भूल जाना	forget	खेल	games
व्यस्त	busy	वृद्ध	old
लोग	people	एक दूसरे के साथ	with – one another
बातें करना	talk	समाचार पत्र	newspaper
समाचार	news	सुनाते हैं	tell
समस्याएं	difficulties	ताश खेलना	play cards
शरद ऋतु	winter	गर्म	hot
बंद करना	shut	सामने	in front of
हमारे	our	वैन वाला	van owner
ठहर गई	stopped		

		घंटी वजाना- शुरू किया	began to ring- the bell
घंटियाँ	bells	आवाज़ सुन कर	having heard
दौड़ने लगे	began to run	पड़ोस	neighbours
दौड़े	ran	बीच में छोड़कर	left in the- middle

पाठ (14)

कुलवीर और संदीश

Hindi	**English**	**Hindi**	**English**
अच्छी	good	इसलिए	therefore
प्रतिदिन	everyday	बिना	without
साढ़े छः	half past six	रात	night
सो कर उठती है	gets up	साढ़े सात	half past seven
पौने सात	quarter to seven	प्रातःकाल	morning
फिर भी	yet	धो लेती है	washes
साथ	with	फिर	then
सो जाता है	sleeps	चाय	tea
ला कर देना	bring	और	and
अकेली	alone	सात बजे	seven o' clock
भाई	brother	आयु	age
सवा नौ	quarter past nine	चौदह	fourteen
साल	years	जगाती है	wakes up

बहुत काम करना पड़ता है	has to work very hard	काम करते हैं	work
जाने से पहले	before leaving	क्योंकि	because
बाद	after	दोनों	both
नौकरी	job	घर से	from home
पता है	knows	खाते हैं	eat
आजकल	these days	पैदल	on foot

NOTES

NOTES